ENSOR
LE CARNAVAL DE LA VIE

Laurence Madeline

D1270070

HORS SÉRIE
DÉCOUVERTES GALLIMARD / RÉUNION DES MUSÉES NATIONAUX

Ma chambre préférée, 1892, huile sur toile

Cette pièce démontre l'imbrication entre le processus créatif d'Ensor et son cadre de vie bourgeois. Chaque objet et chaque œuvre – natures mortes et tableaux satiriques – sont saisis avec précision. La pièce s'organise autour du *Portrait d'Ensor* par Isidor Verheyden, peint en 1886, et du piano qui rappelle la passion du peintre pour la musique et pour Wagner. Avec *Ma chambre préférée*, le peintre, découragé par son manque de succès, envisage de vendre l'ensemble de ses œuvres et fabrique le souvenir de ce qui ne sera plus. Le projet échoue et Ensor redevient peintre mais, sentimental et conservateur, il veut garder chez lui ce tableau. Tout comme ses autres œuvres, dont *L'Entrée du Christ à Bruxelles en 1889* (représenté dans l'*Autoportrait à l'harmonium*, à droite), qui constitue le sommet de son travail et la clé de voûte de son univers matériel et psychologique.

Peint en 1896 à partir
d'une photographie,
Squelette peintre
dresse l'inventaire des
œuvres peintes par
Ensor depuis 1891
et restées entassées
dans l'atelier.
Minutieusement,
le peintre reprend
ses tableaux,
dramatiquement,
il se métamorphose
en squelette. L'atelier
est un tombeau
dans lequel, face à
l'indifférence ou
à l'hostilité du public
Ensor se sent enfermé.

James Ensor dans son atelier, vers 1897

Squelette peintre, vers 1896-1897, huile sur panneau

*Je ne pourrai
me séparer
de mes œuvres.
Elles me sont
indispensables et leur
rayon m'est nécessaire.
Je ne pourrai vivre
en harmonie
hors du décor
façonné par les ans.*
Ensor, 1932

L'Atelier de l'artiste, 1930, huile sur toile

L'artiste en son atelier

Peu d'artistes ont été aussi casaniers que James Ensor. Il vit et finit sa vie
à Ostende, à quelques pas de son lieu de naissance. Il n'a jamais eu
de véritable atelier et c'est dans sa maison qu'il fixe son chevalet.
C'est de la fenêtre de sa chambre qu'il peint certains de ses grands
paysages. C'est dans son salon qu'il exécute ses scènes d'intérieur. Les
objets, les curiosités et les meubles familiers s'introduisent dans ses
tableaux. Et les œuvres qu'il peint, en retour, forment les nouveaux décors
de l'atelier ou de la maison. Ensor se complaît dans l'exercice de la mise
en abyme et invente une forme d'« autobiographie totale » où, dans un
étrange geste tautologique, il résume ses créations. À dessein, il se raconte
et se répète. Après 1900, alors que sa créativité s'essouffle et qu'il s'installe
dans la célébrité, il opère des retours en arrière et copie les compositions
qui ont marqué sa carrière.

*Je ne puis consentir
à l'enlèvement [...]
des œuvres qui me
restent à l'atelier [...]
et jamais
ma grande toile*
L'Entrée du Christ
à Bruxelles *ne
quittera son mur
d'attache. Au reste,
elle pourrait
subir de graves
dommages vu sa
grande dimension
et sa fragilité.*
Ensor, 1921

Autoportrait à l'harmonium, 1933,
huile sur toile

Des débuts « impressionnistes » ?

Après une formation académique à Bruxelles, Ensor se retire, « dégoûté », à Ostende en 1880. Il renie toutes les règles apprises pour inventer une manière qu'il qualifie de « révolutionnaire ». Il choisit des thèmes modernes, scènes d'intérieur, personnages de son temps, natures mortes et paysages, qu'il traite d'une matière épaisse et lumineuse. Il devient, selon Émile Verhaeren, « le premier de nos peintres qui fit de la peinture vraiment claire. Il substitua l'étude de la forme épandue de la lumière à celle de la forme emprisonnée des objets ». Ensor refuse cependant d'être assimilé à l'impressionnisme comme le voudraient ses exégètes. La mélancolie qui pèse sur ses personnages montre qu'il ouvre une autre voie.

Ensor a vingt ans quand il réalise *L'Après-midi à Ostende,* considéré comme le chef-d'œuvre de ses débuts. Il peint sa mère et sa sœur dans le salon familial envahi par une lumière qui ronge les objets et les figures. Présenté au Salon de Bruxelles de 1884, il est refusé : « Il y aura au Salon de bien plus mauvais tableaux, mais nous ne pouvons admettre ces tendances. »

La Raie, 1892,
huile sur toile

On m'a rangé à tort
parmi les impressionnistes,
faiseurs de plein air;
attachés aux tons clairs.
La forme de la lumière,
les déformations
qu'elle fait subir à la ligne
n'ont pas été comprises
avant moi.
Ensor, 1899

Femme en détresse 1882, huile sur toile

Émile Verhaeren a
montré le lien à très bien
lie Ensor le lien organique qui
[...] Le magasin familial :
ssée, avec ses larges
encombrées de
nai), un instant
e. C'est que

*Chinoiseries aux éventails,
1880, huile sur toile*

*L'Après-midi à Ostende, 1881,
huile sur toile*

Comme pour *L'Après-midi
à Ostende* et *La Mangeuse
d'huîtres*, Ensor saisit sa
sœur Mitche dans sa
maison. Scène d'intérieur,
La Femme en détresse rend
compte de la vie dans la
cité balnéaire sur laquelle
pèsent, en hiver, la réclusion
et la torpeur. La lumière
qui glisse dans la pièce
contribue à l'impression
de calme profond et de
mystère. Pourtant, les rais
du soleil qui filtrent de
l'extérieur annoncent
qu'un ailleurs existe. Ainsi
que le souligne Verhaeren,
tout dit le drame mais rien
ne le confirme. Ensor
refuse alors toute histoire et
toute anecdote. Il s'adonne
au jeu de la matière et
se complaît dans le rendu
de toutes les textures de
la chambre bourgeoise
effleurées par le soleil.

andues sur la table où la mangeuse a pris place !
énètrent de lueurs, entrent pour ainsi dire les uns dans les autres
té et la rigueur de leurs formes. Émile Verhaeren, 1908

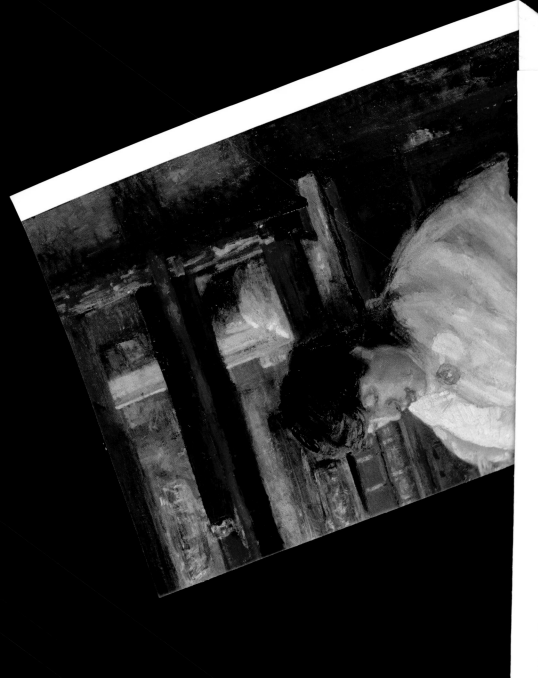

Ensor devant le magasin familial,
rue de Flandre, à Ostende

Un magasin de souvenirs et de curiosités

Le commerce des souvenirs et des curiosités est une tradition familiale
chez les Haegemans-Ensor. Les grands-parents, les oncles, les tantes et
les parents d'Ensor tiennent boutique à Ostende, où se presse en été une
foule cosmopolite depuis que le roi Léopold II y a entrepris d'importants
aménagements. Cartes postales, coquillages, coraux, poissons, grenouilles
empaillées, sirènes, éventails, statuettes, maquettes de bateaux, filets à
crevettes, chinoiseries, masques forment un univers merveilleux auquel le
peintre demeure fidèle. Parfois, Ensor aide sa mère et sa sœur au magasin
et, jusqu'à la fin de sa vie, conservera ce décor insolite.

Sirène des îles Fidji,
Asie du Sud-Est,
1ʳᵉ moitié du XIXᵉ
siècle, poisson séché,
bois, tronc de singe